Cyflwyniad

Cyfaill, cymwynaswr, talent, gwrandäwr, arsyllwr...sut mae disgrifio Meic? Bu'n gefnogwr brwd o Bara Caws ers y cychwyn, ac mae ei waddol i'r theatr a'r cyfryngau yng Nghymru yn amrhisiadwy. 'Roedd ei ddisgyblaeth, ei graffter, ei ddiddordeb, ei chwilfrydedd, ei hoffter o'i gymeriadau, o drafod a sgwrsio, ac o roi'r byd yn ei le mewn modd dwys a'r modd mwyaf hwyliog heb ei ail. Mae Dwyn i Gof, y ddrama lwyfan olaf iddo ei chyflwyno i Bara Caws, yn ychwanegiad gwerthfawr i ganon cyfoethog o waith. Mae'n ddrama ddifyr a phryfoclyd sy'n cyfuno'r dwys a'r digrif wrth archwilio pwnc sydd 'ar feddwl' pawb y dyddiau hyn.

Yng ngeiriau dihafal Meic ei hun, "Y rheswm esh i ati i sgwennu am y pwnc penodol yma ydi hyn: O'r holl bethau all ein lladd - ac fel dywedodd yr Americanwr adnabyddus, Anthony Hopkins unwaith (sic), 'nobody gets out of this alive' - yn bersonol, colli dy gof ydi'r cyflwr sy'n codi mwya' o ofn arna'i."

Gyrrodd y ddrama atom yn 2016, ac 'ro'n i wrthi'n dechrau rhyw gyfathrebu ynglŷn â hi pan gafodd ei daro'n ddifrifol wael. 'Roedd wedi dweud ei hun bod angen rhagor o waith arni, felly 'ro'n i mewn cyfyng-gyngor. Yna deuddydd wedi iddo farw cefais gerdyn ganddo, drwy law Catrin ei ferch, yn ei ffordd unigryw ei hun yn fy herio i ymgymryd â'r dasg asap - a fel ddeudodd Catrin, 'Pwy yda ni i ignorio hynny?' Felly dyma ni!

'Rydym wedi colli'r cyfle i drafod, i ddadlau ac i herio, ond mae hi wedi bod - fel bob tro - yn fraint.

Hoffem ddenu sylw at ddau bwynt penodol:

1. Gan nad oedd Meic gyda ni i weithio ar y sgript yn ystod y cyfnod ymarfer, 'rydym wedi penderfynu cyflwyno'r ddrama fwy neu lai fel y mae. Ambell air yn unig sydd wedi newid.
2. Gan mai yn 2016 y cyflwynodd Meic y ddrama i ni, 'rydym wedi glynu at y dyddiadau gwreiddiol ar gyfer y copi argraffedig, ond 'rydym wedi diweddaru'r dyddiadau ar gyfer y perfformiadau er mwyn cyfoesedd.

Betsan Llwyd

DWYN I GOF <small>GAN</small>
<small>MEIC POVEY</small>

Huw:	Llion Williams
Bet:	Gwenno Elis Hodgkins
Cerys:	Sara Gregory
Gareth:	Rhodri Meilir
Cyfarwyddo:	Betsan Llwyd
Criw:	Caryl McQuilling
	Berwyn Morris-Jones
	Emyr Morris-Jones
	Lois Prys
	Carwyn Rhys Williams
Gweinyddu/ Marchnata:	Linda Brown
	Mari Emlyn
Gyda diolch i:	Rc-Annie
	Catherine Young

Dymuna Bara Caws ddiolch i:
Cyngor Celfyddydau Cymru, Cyngor Sir Gwynedd, Cyngor Sir Ynys Môn, Cyngor Bwrdeistref Sirol Conwy, Cynghorau Cymuned Gwynedd, Môn, Conwy ac ardaloedd eraill.

Diolch i: Almahurst Business Solutions, Rondo, Cwmni Da.

DWYN I GOF

gan

MEIC POVEY

Hawlfraint y cyhoeddiad: © Atebol Cyfyngedig 2018
Adeiladau'r Fagwyr, Llanfihangel Genau'r Glyn, Aberystwyth, Ceredigion SY24 5AQ
www.atebol.com

Dyluniwyd gan Ceri Jones
Argraffwyd gan Gwasg Gomer

ISBN 978-1912261666

Os am ganiatâd i berfformio'r ddrama hon, cysyllter â'r cwmni:
Theatr Bara Caws, Uned A1, Cibyn, Caernarfon, Gwynedd LL55 2BD
Ffôn 01286 676 335 / e-bost: linda@theatrbaracaws.com

GOFOD, GYDA BWRDD MAWR SGWÂR A PHEDAIR CADAIR,
I'W DEFNYDDIO FEL BO'R ANGEN.

ACT 1

GOLYGFA 1

MAE **GARETH** A **CERYS** YN LLONYDD, YN WYNEBU ODDI WRTH EI GILYDD;
DIEITHRIAID BRON IAWN. **HUW** A **BET** YN DAWNSIO, WALTZ. MAE **HUW** YN
DDAWNSIWR RHAGOROL, **BET** YN HAPUS IDDO ARWAIN. MAENT YN CAEL AMSER
BENDIGEDIG. DAW'R GERDDORIAETH I BEN. AR EI UNION, Â **HUW** YN DDRYSLYD,
YN ANSICR, DIM BYD TEBYG I'R DYN HYDERUS WELWYD YCHYDIG EILIADAU
YNGHYNT. **BET** YN CYDIO YN EI LAW YN GARIADUS. YN DDI-RYBUDD, **HUW** YN
TYNNU EI LAW I FFWRDD A RHOI PELTAN IDDI AR DRAWS EI HWYNEB.

MAE'R GOLAU YN NEWID.

GOLYGFA 2

HUW: Faint o'r gloch ydi hi?

BET: Tri.

                YSBAID.

HUW: Faint o'r gloch?

BET: Tri. Ma' hi'n dri o'r gloch.

HUW: Lle fuost ti?

BET: Gwyn oedd isio menthyg y strimyr.

HUW: Roddodd o'r ticad i ti?

                YSBAID.

HUW: Faint o'r gloch ydi hi?

OCHENAID BACH GAN **BET**. MAE HI'N BENDERFYNOL O BEIDIO EI ATEB. OND YN DERFYNOL:

BET: Tri.

                YSBAID.

HUW: Dwi am fynd i llnau y deryn.

BET: Y car 'ti'n feddwl.

HUW: Dyna dwi'n feddwl?

BET:	Na, na. Y deryn. Syniad da.
	YSBAID.
HUW:	Alwodd Gwyn efo'r ticad?
	YSBAID.
HUW:	Be' am fynd i rwla yn y deryn? Ddreifia i.
BET:	Ma' Gareth a Cerys yn cyrraedd heddiw.

HUW YN SYLLU ARNI.

BET:	I drafod y briodas. Mi wyt ti'n gwybod.
HUW:	Mewn deryn? Ddreifia i.
BET:	Mewn trên.
HUW:	Trên! Fyddi di'n gwisgo dy gôt fawr las?
BET:	Na, Huw. Ddim hynna. 'Rhosa efo fi. 'Rhosa efo Gareth a Cerys.
HUW:	Gwisga dy gôt fawr las, Bet... a dy... lygaid mawr glas... a gwefusa' i ladd dyn. Ma' gin i lun.

YN REDDFOL MAENT YN CYD-GANU, MEWN HARMONI PERFFAITH:

HUW/BET:	'Dwy law yn erfyn, sydd yn y darlun...'
HUW:	Ras wyllt ar draws Llundan, y cês yn hollti yn y tacsi!
BET:	(ILDIO I'R COF) Wan yn chwerthin!

HUW: Law yn llaw, yn ninas y cariadon, yn feddw dan fŵa'r Arc de Triomphe. Wyt ti'n cofio?

BET: Dwi isio i **ti** gofio; i ddal i gofio. Bob dim, trosodd a throsodd.

         YSBAID.

BET: Paid â stopio.

HUW: Ydi Gareth 'ma?

BET: Hitia befo Gareth am funud. (YN BWRPASOL) Arc de Triomphe, p'nawn cynta. Dau ddiwrnod yn weddill.

HUW: Dwi'n dal i gofio.

BET: Wyt ti?

HUW: Caru. Yfed mwy o win.

BET: Cysgu.

HUW: Caru.

         YSBAID.

HUW: Ma' gin i gyfaddefiad i'w 'neud: Dwi wedi bod efo dynas arall. Dwi wedi cysgu efo dynas arall. Gobeithio gwnei di fadda i mi. Ddim yn bishyn o bell ffordd! Bet oedd 'i enw hi.

BET YN SYLLU ARNO YN DDI-EMOSIWN.

GOLAU YN NEWID.

GOLYGFA 3

GARETH A **CERYS**. **GARETH** YN TROI ATI.

CERYS: Ddim rhy agos. Alla'i ddal i'w gwynto hi.

GARETH: O, er mwyn Duw!

CERYS: Er mwyn pwy?

            YSBAID.

GARETH: Drycha... anghofia neithiwr a... Gad o am heddiw, siarada ni
            fory. Plîs Cerys, ddim gair wrth mam. Prin ddalltith o.

CERYS: Wy'n genfigennus.

GARETH: Dyna beth cachlyd i' dd'eud!

CERYS: Smo fi'n haeddu tam bach o gachu'n hunan, ar ôl y cachu 'ti 'di
            ddympo arna'i?

            YSBAID.

CERYS: Pryd ma'r trên nesa' 'nôl i Gaerdydd?

GARETH: Na. Ma'n rhaid i ni 'neud hyn.

CERYS: Heddi? 'Fory? Gweddill 'yn bywyde?

            YSBAID.

CERYS: O'dd 'da 'i enw?

GARETH YN YSGWYD EI BEN.

CERYS:	O'dd 'da 'i enw, neu beth? Falle o't ti'n 'nabod hi wrth liw 'i nicyrs hi?
GARETH:	Chwara gwmpas oeddan ni. Tynnu coes.
CERYS:	Mas yn y glaw? Yn erbyn wal? Yn y tywyllwch? Swno'n sbort!
GARETH:	Shelley! Shelley, dyna'i henw hi. Siarad, dyna'i gyd fuo ni'n 'neud.
CERYS:	Siarad.
GARETH:	Rhannu sigaret.
CERYS:	Wy'n despret i dy gredu di.
GARETH:	Dwi'n dy garu di.
	YSBAID.
GARETH:	Fydd heddiw'n iawn?

CERYS YN NODIO.

GARETH:	Fel arfar?
CERYS:	Fel 'se dim yn digwydd. I dy dad wy'n feddwl.
GARETH:	O'n i'n mental neithiwr! 'Feddw... a mental. Dwn i ddim be' ddoth dros 'y mhen i. Wrach 'mod i'n chwilio. Amdano fo. Fel roedd o.
CERYS:	Trwy'i gnacho fe?

GOLAU YN NEWID.

GOLYGFA 4

HUW A **GARETH**. **BET** A **CERYS** YN EDRYCH YN WRTHRYCHOL. DWY SGWRS AR WAHÂN.

GARETH: Schumacher...

HUW: Shoe - maker. Yn Saesneg.

GARETH: Schumacher! Fo enillodd y flwyddyn honno.

HUW: Shoe...

GARETH: Macher! Be' sy' haru chi?

HUW: Ras a hannar. Mi wyddwn i hynny.

                     YSBAID.

CERYS: Ma' fe weld yn itha normal.

BET: I'w weld yn aml.

CERYS: Gwedd dda iddo fe. Odi e'n mynd mas o gwbl?

BET: Am dro efo Gwyn. Gwyn Preis, cymydog. Mae o'n ffeind.

CERYS: Sai 'di gwrdd e.

BET: Dyn arbennig.

                     YSBAID.

HUW:	Y ras honno: Yn ystod ymweliad â Blacpwl efo Dewyth' Harri. Ar y teledu yn stafall ffrynt y gwesty.
GARETH:	(GOBEITHIOL) 'Dach chi'n cofio Dewyth' Harri?
HUW:	Harri Morgan, môr-leidr, gofio fo'n iawn.
GARETH:	Tynnu coes ydach chi?

HUW YN CHWERTHIN. **GARETH** YN CHWERTHIN.

HUW:	Llais da gan Dewyth' Harri! (CANU) There'll be blue birds over...!
HUW/GARETH:	(CYD-GANU) The white cliffs of Dover!

YSBAID.

BET:	Mae o'n benderfynol o siarad yn y briodas.
CERYS:	Hwnna'n hala ofan arna'i.
BET:	Gawn ni weld. Araith fyr hwyrach; ar bapur.
CERYS:	Y briodas sy'n hala ofan arna'i.
BET:	Be' 'di matar?

YSBAID.

HUW:	Pwy oedd hi – Vera Lynn ta Gracie Fields?
GARETH:	Dim syniad. Deudwch chi.

HUW: Wyt ti'n siŵr fod Dewyth' Harri efo ni?

GARETH: Oedd o cau tynnu 'gap amsar brecwast. Mam yn marw o
                        embaras. Sgynno chi ddim cof?

HUW: Oedd o'n sâl bryd hynny? Pa mor aml fydda fo'n embaras i
                        bobol?

GARETH: Ddim yn aml!

HUW: Mi lladdodd o yn 'diwadd.

GARETH: Be' ddaru?

HUW: Hwnna... yr aflwydd oedd arno fo.

GARETH: Car gnociodd o 'lawr.

HUW: Fo oedd yn dreifio ddyliwn.

GARETH: Ddim os cafodd o'i gnocio 'lawr.

HUW: Dreifar ofnadwy. Brawychus.

GARETH: Ddim bellach; mae o wedi marw.

                        YSBAID.

HUW: Ma' Schumacher yn farw? Ydi, ydi. Mi wyddwn i hynny. Hen
                        fusnas cas.

                        YSBAID.

HUW: Amsar maith yn ôl.

YSBAID.

BET:	Be' sy'? Be' 'di matar?
CERYS:	Gorffod i chi rioed fadde i Huw?
BET:	(CURIAD) Ynglŷn â be'?
CERYS:	O... hyn a'r llall.
BET:	Ma' dynion yn gwneud sawl peth cyn priodi. Peidiwch â thaflu'r llo a chadw'r brych.

YSBAID.

HUW:	Pwy wyt ti? Pwy ydw i?
GARETH:	Gareth, dad. Ych mab, Gareth.
HUW:	Wrth gwrs mai dyna pwy wyt ti. Mi wyddwn i hynny.
GARETH:	Mi wyddach o'r cychwyn?
HUW:	Be' 'di hanes y briodas?

GARETH YN FWY GOBEITHIOL. **HUW** YN CYSIDRO **CERYS** YN GARIADUS.

HUW:	'Beth dlws, dydi?
GARETH:	Dwi'n credu hynny.
HUW:	Wyt ti'n fodlon?
GARETH:	Gobeithio! Be'...?

HUW: Bod yn was priodas i mi?

GARETH YN DIGALONNI. **HUW** YN CYSIDRO **BET**.

HUW: Dwyt ti ddim am 'y nghyflwyno'i? Dynas smart.

HUW YN CYSIDRO **CERYS**.

HUW: Rhy hwyr i mi ma'rna'i ofn. Dwi wedi 'nal yn barod.

MAE'R DDWY SGWRS YN CYFUNO.

GARETH: (CERYS)   Dwed rhywbeth. Mae o'n dy 'nabod ti.

BET: Na, tydi'o ddim. Mae o'n meddwl mai fi ydi hi.

GARETH: Chi ŵyr. Dwed 'helo'. Dyna mae o'n feddwl go iawn?

CERYS: Shwmai, Huw. Shelley odw i. Wejen Gareth.

GARETH: Ffyc off!

HUW YN RHOI EI DDWYLO DROS EI GLUSTIAU AC UDO. **CERYS** YN CHWERTHIN YN HISTERAIDD.

GOLAU YN NEWID.

GOLYGFA 5

HUW, BET, GARETH A **CERYS**.

GARETH: Dad; mam – dyma Cerys.

BET: Helo! Neis cwarfod chi!

CERYS: Shwmai!

YSGWYD DWYLO.

HUW: Cerys? Swnio'n fforin! 'Ti'n siŵr mai nid Carys wyt ti?

CERYS: Cerys. 'Flin 'da fi'ch siomi chi, Mr. Jenkins!

HUW: Huw! Paid ti â meiddio 'ngalw'i yn ddim arall. Croeso ato ni.

HUW YN ANWYBYDDU LLAW ESTYNEDIG **CERYS** A'I CHOFLEIDIO YN LLAWN.
YMDDENGYS NAD OES OTS GANDDI. **BET** YN ANESMWYTHO.

HUW: Wedi clywed dipyn o dy hanes di.

CERYS: Dim byd drwg gobitho!

GARETH: (CHWAREUS)
                    Rhowch hi lawr, dad!

HUW YN DATGYSYLLTU, OND YN DAL EI AFAEL YN EI DWYLO AM SBELAN ETO.

HUW: Enw hyfryd, ac mi wyt titha'n ferch ifanc hyfryd iawn. Mi wnei
                    ddyn o'r bychan dwi'm yn ama'.

GARETH: Siaradwn ni am rhywbeth arall?

BET: Syniad da iawn.

HUW: Ydi'o?

BET: Paid â mynd dros ben llestri, Huw.

HUW: Pam lai! Ma' hi'n un o'r teulu rwan.

BET: Ac yn rhy gwrtais i ddweud dim dwi'n siŵr.

HUW: Be' sydd i'w ddweud? Be' sydd i'w ddweud, Bet?

DIM OND RWAN MAE **CERYS** A **GARETH** YN SYNHWYRO Y TENSIWN O DAN YR
WYNEB.

HUW: Wyt ti'n aros i ginio? Cig oen Cymreig efo'r trimings i gyd!

CERYS: Ie, plîs!

HUW: Mi gei 'ngwylio'i yn torri.

GOLAU YN NEWID.

GOLYGFA 6

HUW A **BET**. **HUW** YN GWENU. **BET** YN AROS.

BET: (YN DERFYNOL)
                                  Wyt ti'n mynd i dorri?

HUW: Pwy sy'n galw?

BET: Gwyn a Jill.

HUW: Ia, ia... wrth gwrs.

BET: 'Ben-blwydd ar Gwyn.

HUW: Mi fydd yn dda i'w weld o!

BET: (CURIAD)
                                  Mi oeddan ni efo nhw neithiwr.

HUW: Am noson…!

MAE'N EI THYNNU YN AGOS.

HUW: Roist ddau dro am un i mi, Madam!

BET: (WRTH EI BODD)
                                  Wyt ti'n cofio?

HUW: Arafu, dyna ddylian ni fod yn 'neud yn y'n hoed ni!

MAE HI'N EI GOFLEIDIO YN GARIADUS.

BET: Dwi'n dy garu di gymaint, Huw.

HUW:	A finna chditha, 'nghariad i. Reit ta…! Pwy sy'n galw i ginio? Pa gyllall fydda ora'?
BET:	Y gyllall arferol debyg.
HUW:	Dweud eto…?
BET:	Gwyn a Jill!
HUW:	Mai'n ben-blwydd ar Gwyn!
BET:	(YN WÊN O GLUST I GLUST) Ydi!
HUW:	Mi fydd yn dda'i weld o eto.
BET:	Torra'r cig. Mi fyddan yma toc.
HUW:	Gwna di. Dwi angen ffonio'r banc.
BET:	Ar y Sul?
HUW:	Ia… mi wyddwn i hynny. Gwna di.
BET:	Chdi… sy' wastad wedi gwneud, Huw.
HUW:	(CHWERTHIN) Noson i'w chofio myn diawl i!

GOLAU YN NEWID.

GOLYGFA 7

BET A **GARETH**.

BET: Gafoch chi noson dda?

GARETH: Pryd?

BET: Chdi ŵyr.

GARETH YN GWENU. YNA CYSIDRO **HUW**, SYDD DDIM YN RHAN O'R SGWRS.

GARETH: Ydio'n ddigon tebol?

BET: 'Byhafio'n well ambell i ddiwrnod. (CURIAD) Chditha? Byhafio ar y cyfan?

GARETH: Be' mai wedi bod yn 'dd'eud?

BET: Wyt ti'n byhafio, Gareth?

                YSBAID.

GARETH: Toedd o'n ddim. Hen gadw reiat. Gor-yfad.

BET: 'Dim' yn golygu 'rhywbeth' fel rheol.

GARETH: A hebddo fo, mi fydda'r byd yn marw ar 'i draed. Be' amdanoch chi…! Yn ffrindia' penna' efo Gwyn drws nesa mwya' sydyn.

BET: Gwyn Preis? A fynta'n briod? Paid â rwdlan.

GARETH: Sori. Dan dîn. Di-feddwl. Be' am siarad am y briodas!

CERYS YN YMUNO Â'R SGWRS.

GARETH: Ydio'n ffit i wneud araith?

CERYS: O's ots?

GARETH: Mam?

BET: Ydio'n bwysig i chi'ch dau?

CERYS: Pa ran?

                   YSBAID.

CERYS: Fydd e wedi anghofio cyn yr achlysur siŵr o fod.

GARETH: Yr araith? Go brin.

CERYS: Fod e'n areithio o gwbl. Defnyddiol falle. Cyfleus.

GARETH: Be'?

CERYS: Anghofio.

GARETH: Sgynno fo mo'r help.

CERYS: Nago's. Fe.

BET: Hwyluso petha' am wn i.

GARETH: Hwyrach.

CERYS: Cario mla'n fel 'se dim wedi digwydd, Gareth?

                   YSBAID.

BET:	Mae o'n sôn am ddweud y stori ffwtbol wirion 'na.
GARETH:	(HOFFUS) Profiad gora'i fywyd o! Be' sy'n wirion yn hynny?
CERYS:	Gwed wrthon ni byti un ti.
GARETH:	Dwi'm yn dallt.
CERYS:	Profiad gore dy fywyd ti – cyn belled. Smo fe wedi digwydd i fi 'to!
GARETH:	'Rhoswn ni efo dad? 'M'ots gin i. Dwi'n hapus.
CERYS:	Hapus. Der weld. Itha lot i'w ystyried.
BET:	(YMGAIS I DROI'R STORI) Hwyrach medrwn ni roi perswâd arno fo i ddewis stori arall!
CERYS:	Ie! Gwato fe yn y cwtsh dan stâr ar bob cyfri'!
BET:	Mi fydd rhan fwya' yno wedi 'chlywad hi... oedd gin i.
CERYS:	Siŵr o fod.
GARETH:	Nid dyna ydi'o. 'Dal yn stori dda.
CERYS:	Odi hi? Wy'n gyfarwydd 'da 'i. Gyd byti fe. Fydd e ddim byti ni: Ti a fi, Gareth, ar ddechre'n antur fawr newydd! Pam na all e fod tam bach 'fwy traddodiadol, a gweud stori amheus am 'i fab 'i hunan? Nage 'na beth ma' tade balch fod i 'neud; paso'r llyfyr bach du 'mla'n teip o beth?
GARETH:	Ocê... Mi 'dan ni'n troi yn y'n hunfan yn fa'ma.

CERYS:	Gad e 'weud y stori. Fydde'm ots 'da fi chlywed hi 'to.
GARETH:	Wyt ti o ddifri'?
CERYS:	O, gwna beth ffyc 'ti moyn!
	YSBAID.
BET:	Mi fedra fod yn rhywbeth arall; yn ddigon rhwydd.
GARETH:	Be?
BET:	Profiad gora'i fywyd o.
GARETH:	Ddim yn 'i ôl o!
BET:	Ia, ond... Doeddat ti'm yno. Heb dy eni hyd yn oed.
GARETH:	Sgin i'm rheswm i ama 'i air o.

CERYS YN CHWERTHIN YN UCHEL.

GARETH:	Be'di matar a'n't ti...?!
CERYS:	Gair dyn? Gwedwch wrtho fe, Bet!

CERYS YN CHWERTHIN ETO.

GARETH:	Rho gora iddi!
BET:	Mi fu profiada' erill, Gareth. Ar 'y ngwir.
GARETH:	Os 'dach chi'n dweud.

BET:	Taith ar drên hwyrach... neu... gerdded law yn llaw mewn dinas ddiarth. Cerddad yn feddw.
CERYS:	Meddw. Lan yn erbyn wal. Yn y tywyllwch.

ERYS Y TRI YN LLONYDD.

MAE **HUW** YN YMUNO YN Y SGWRS.

HUW:	Have you seen the list?
	YSBAID.
HUW:	Have you seen the list?
GARETH:	Atebwch o, mam.
CERYS:	Pam bod e'n siarad Saesneg?
HUW:	Have you seen the list?
BET:	Na, Huw. Paid. Ddim rwan.
CERYS:	Pam Saesneg?
BET:	(WRTH **HUW**) Cymraeg ma' pawb yn siarad yma.
HUW:	Have you seen the list?
BET:	Neb yn dy ddallt di. Neb yn siarad yr iaith.
GARETH:	Ydio'n ymwybodol?
BET:	Go brin. Anwybydda fo. Dyna 'sa ora'.

CERYS: Rhowch e yn y cwtsh dan stâr.

GARETH: Crist.

CERYS: 'Ti'n dishgw'l iddo fe dy achub di?

BET: Rhowch gora iddi, y ddau ohonoch chi.

HUW: Have you seen the list?

BET: (DYNER)
                B'istaw, Huw. Mi syrffedith 'munud.

HUW: Have you seen the list?

BET A **CERYS** YN CHWERTHIN YN REDDFOL. **GARETH** YN FLIN GYDA'R DDWY.

GARETH: Siaradwch yn gall, dad.

HUW: Dwi'n hollol gall, fab annwyl dy fam.

GARETH: Ydach chi? A fi... Dwi'n fab i chi?

HUW: Dwi wedi anghofio dy enw di.

GARETH: Hitiwch befo. Fi ydi'ch mab chi?

HUW: A'th am ffwr' i weithio. Llandinam dwi'n meddwl.

GARETH: Fi 'di hwnnw! Fi a'th i ffwr'. I Lundan. Fedrwn ni siarad am y
                briodas? Ydach chi'n cofio Cerys?

BET: Gormod o gwestiyna'.

HUW: (GARETH)
                Dda dy weld ti.

25

YSBAID.

GARETH: Pwy ydw i?

HUW: Llandinam.

GARETH: Shit! Be'di'n enw i? Na, hitiwch befo. Pwy ydw i?

HUW: 'Ngwas priodas i.

GARETH: Na, tydach chi ddim! Dwi'n priodi Cerys... Ac mi 'dach chi'n
             gwneud araith. Fedrwch chi gofio rhywfaint ohono fo?

HUW: Esh a chdi 'bysgota ar dy ben-blwydd yn bump.

GARETH: (LLAWENYDD)
             Do! Do, mi ddaru chi...

BET: Na, ddaru o ddim.

HUW: Wyt ti wedi anghofio?

GARETH: (BET)
             Be'...? (HUW) Naddo!

BET: Fuon yn Bermo am y diwrnod.

GARETH: Do 'fyd...?

HUW: Mi oedd dy fam wedi gwneud fflasg a brechdanna'. Roedd hi'n
             gwisgo ffrog felyn.

GARETH: Oedd hi...?

HUW: Wedi 'thorri'n isal.

26

BET:	Pen-blwydd arall ma'n rhaid.
HUW:	Lipstig coch 'di blastro.
GARETH:	Rêl Marilyn Monroe! Cofio dim!
BET:	Nag wyt debyg. Doeddat ti'm yno...!
GARETH:	Nagon i?
HUW:	Diwrnod i'w gofio! Ddalis i fawr chwaith...
BET:	Cymryd arno mae o.
GARETH:	Nag 'di'o ddim! Mi fuon ni'n canu yn y car, yr holl ffor' adra.
BET:	Euthon i Bermo ar y trên.
GARETH:	Na, mi euthon i sgota! Mi gafon salad hen ffasiwn i swpar...
HUW:	Wya' 'di berwi! Tatws cynnar!
GARETH:	A salad crîm! 'Dach chi'm yn cofio, mam? Mi steddon yn y car yn canu, yr holl ffor' adra...
BET:	(YN GRYF IAWN) Ddaru ni ddim! Da'th o mo'nat ti sgota ar dy ben-blwydd yn bump! Waeth i ti heb â gofyn iddo fo... Ynglŷn â dim! Ma' mwy nag un llais yn 'i ben o, yn cystadlu efo'i gilydd! Paid â gwrando – na choelio – 'r un ohonyn nhw! Ma' gofyn i ti anghofio, Gareth! Anghofio!

GOLAU YN NEWID.

GOLYGFA 8

HUW A **BET**.

BET: Pam ydan ni angen rhagor o flancedi?

HUW: Mi flinith. Roi'r sêt gefn i lawr. Geith gysgu fan'o.

BET: Finna wrth 'i ymyl o rhyw ben dwi'n siŵr!

HUW YN EI CHYSIDRO YN OFALUS.

HUW: Wedi bod yn pendroni. Hwyrach mai dim ond y ddau ohono'
                     ni ddyla fynd.

SYPREIS ANNISGWYL I **BET**. MAE'N TYNNU **HUW** YN AGOS.

BET: Yr hen gi i ti. Iawn, geith fynd at mam. Mi fydd hi wrth 'i bodd!

HUW: Na, na. Gareth oedd gin i.

BET: O! Ac ers pryd wyt ti wedi bod yn 'pendroni' ynglŷn â hyn?

HUW: (GWENU)
                     Ti'n casáu sgota p'run bynnag!

BET: Ydw'i?

HUW: Dwi isio iddo fo fod yn gofiadwy i'r bych. Tydi'm ots gin ti,
                     nachdi?

BET: 'Hogia' efo'i gilydd?

HUW: Dyna sy'n arferol i dad a mab.

BET:	'Rhosa'i yn y car! Fyddai ddim o dan draed. Addo. (SAIB) Orfeddai ar y gwely cyffyrddus wyt ti'n mynd i wneud.
HUW:	'Chydig o blancedi, dyna'r oll.
BET:	Clyd iawn – i rhywun.
HUW:	I Gareth.
	YSBAID.
HUW:	Ydan ni'n mynd i ffraeo ynglŷn â hyn?
BET:	Be' 'ti 'di ddweud wrtho fo?
HUW:	Deud 'tha fo be?
BET:	Mi fydd yn disgwyl i mi fod yno. Be' ddeudi di? Ddalltith o'r syniad o 'hogia' yn 'i oed o?
HUW:	Iawn, dai'm â fo.
BET:	A meio i? Na wnei di wir!
HUW:	Iawn. Ty'd efo ni. Difetha'r owting.
BET:	I bwy?
	YSBAID.
HUW:	Hogyn 'dio, Beti. Hogyn pump oed...

GOLAU YN NEWID.

GOLYGFA 9

HUW, BET, GARETH A **CERYS**. **GARETH** YN FRWDFRYDIG, BRON FEL PLENTYN.

GARETH: Dowch 'laen, dad! Gnowch i fi!

HUW YN GWENU, WRTH EI FODD GYDA'R SYLW.

GARETH: Nowch chi? Mi 'sa Cerys wrth 'i bodd yn 'i chlywad hi!

BET: (YSGAFN)
                         Be' amdana' i?

HUW: Mi geith hi benderfynu. Be' liciat ti i mi wneud, Cerys?

AM ENNYD, MAE'N CYDIO YN EI LLAW.

CERYS: Gwedwch hi. 'Sen i wrth 'y modd!

GARETH: Ganol Ionawr, mil naw saith tri! Farrar Road dan 'i sang! Pum munud i fynd a'r gêm yn gyfartal!

HUW: Wyt ti am i dweud hi?

GARETH: Sori!

BET: Tân dani, er mwyn y nef.

HUW: Wyt ti...? (AM EI DWEUD HI)

ENNYD BACH O DENSIWN.

HUW: Ganol Ionawr, mil naw saith tri. Dyna lle'r oeddwn i ar yr asgell dde. Reit-wing yn Gymraeg gyda llaw!

CERYS YN CHWERTHIN.

GARETH: Ac yn gredwr mawr yn 'i allu naturiol os cai dd'eud!

BET: Paid â phoeni, Cerys, mi ddoi i arfar.

HUW: (TEFLIR EF)
                Be'...?

CERYS: 'Mla'n â chi, Huw!

HUW: Stori ffwtbol ydi hi yn diwadd. Tydw'i ddim am dy ddiflasu di.

GARETH: Dim ond stori? Chwedlonol, dim llai!

BET: Neu chwedl.

HUW: Gwir pob gair! Mi oeddwn i yno!

BET: Tydi'o bwys gin neb bellach.

HUW: (ETO, FE'I TEFLIR RHYW YCHYDIG)
                Ydyn nhw wedi anghofio?

GARETH: Rhowch lonydd iddo fo, mam! Mi oeddach chi yn 'i hannar
                nhw, dad.

HUW: Efo'r gwynt yn 'y ngwallt...

GARETH: Corwynt cofiwch!

HUW: Yn 'y ngwallt. Mwya' sydyn, dyma'r bêl yn landio wrth 'y
                nhraed i. Mi oeddwn i ar dân!

BET: (YSGAFN)
                Wedi 'feddianu!

HUW:	Ganol Ionawr, mil naw dau wyth...
GARETH:	Saith deg tri!
HUW:	Efo'r gwynt yn 'y ngwallt i. Wilias ar f'ysgwydd i.
BET:	Maxwell.
GARETH:	Nid Hughes oedd o?
BET:	Maxwell oedd o.
GARETH:	Pwy bynnag! Doedd o ddim mewn lle da i dderbyn pas.
CERYS:	O't ti yno?
GARETH:	Oeddwn! Nag oeddwn! Dim ots! Mi oedd 'i centre back a'i wing chwith nhw yn carlamu tuag ato fo. Roedd amsar yn brin...
HUW:	Oedd o?
GARETH:	Chi oedd yno! Cofio?
HUW:	Mil naw dau wyth...
CERYS:	Pam bod e'n gweud 'na?
BET:	(YSGAFN) Mae o bob sud!
GARETH:	Saith deg tri, dad!
HUW:	Yn 'y ngwallt i... Be'?

GARETH:	(BET) Fodlon?
CERYS:	Be' sy'n bod?
GARETH:	Wedyn mi weloch, o gornal y'ch llygad, mi sylwoch fod 'u wing dde nhw, Davies, yn rhedag reit ar draws y cae tuag atoch chi!
HUW:	Wilias.
GARETH:	Ymlaen â chi, yn agosach ac agosach at y gôl! Mi basioch y bêl i Wilias – neu Maxwell, neu rhywun – a mi sgoriodd o i gornal y rhwyd o ugian llath!
HUW:	Fi sgoriodd.
BET:	Davies.
GARETH:	(ANSICRWYDD) Ydach chi'n siŵr…?
BET:	Davies. Ar 'i ben.
GARETH:	Ond… ddim iddyn nhw oedd o'n chwara?
BET:	Neville. Hwyrach mai Neville oedd o.
HUW:	Sut ffwc wyddost ti?!
CERYS:	(SIOC) O good God!
BET:	Peidiwch â chrybwyll yr enw yna yn 'y nhŷ i!
HUW:	Be' ffwc wyddost ti am ffwtbol?!

BET:	Dwi wedi digio cymaint efo fo!
GARETH:	Dad? (BRON FEL PLENTYN) Stopiwch hi!
BET:	Duw!
HUW:	Dwi wedi chwara' i'r sir! Tydw'i ddim yn anghofio!
BET:	(WRTH **GARETH** A **CERYS**) Dwi angen siarad efo'r ddau ohonoch chi.
HUW:	Be' ffwc wnest ti rioed yn dy fywyd, heblaw am ista ar dy din tew!
BET:	Cadw cownt, Huw! O bopeth! Fi sy'n cadw'r fflam yn fyw! Does gen i ddim dewis ond cofio!

GOLAU YN NEWID.

GOLYGFA 10

BET, GARETH A **CERYS**.

BET: Llecyn hyfryd. Diwrnod ar y tro, i gychwyn. Afon, tu hwnt i'r clawdd terfyn. Mi hoffith hynny. (GWÊN GYNNIL, EIRONIG) Hwyrach gnown nhw ganiatáu iddo fo 'sgota o bryd i'w gilydd. Mi fydda wrth 'i fodd.

GARETH: Ond... pam? Na, fedrwch chi ddim! Ma' 'na rhei gwaeth na fo!

CERYS: Bet 'da fe twenty four seven.

GARETH: Mae o'n dad i fi; fi sy'n 'i 'nabod o.

BET: Ddim bellach.

GARETH: Dad fydd o i mi am byth. Waeth faint gollwyd, ma' digon ar ôl.

BET: Darna'. Tameidia'. Mi dw i'n gorfod bwyta'r gacen gyfa'.

GARETH: Barddonol iawn, myddyr.

BET: Nid dest colli manion; nid dest anghofio enwa' neu sut i ddarllen llyfr; neu sychu pen ôl yn drylwyr.

GARETH YN OCHNEIDIO YN DRWM.

CERYS: Gormod o wybodeth?

BET: Dechra' gofidia' iddo fo ydi rheini. 'Yn gofidia' ni, ddyliwn ddweud. Na, anghofio'r cwbl yn y diwedd. Popeth neuthoch chi fel unigolyn; anghofio'r hyn sy'n y'ch gwneud chi'n pwy ydach chi. Angofio'ch cydnabod i gyd. Mewn dim o beth mi fydd yn byw efo rhywun diarth; fel bydda' inna'.

CERYS: A fi.

YSBAID.

GARETH: Hyd yn oed wedyn – pa hawl sgynno chi i'w roi o dan glo?

CERYS: Pa hawl sda ti 'gwestiynu pan 'ti'n byw ddou gan milltir i ffwrdd?

GARETH: Rhannu'r cyfrifoldeb. Mi 'dan ni'n fodlon helpu, mam!

CERYS: Siwrne byddai'n wraig dda a gwasaidd, Bet.

GARETH: Ar 'i ben! Dyna'r pwynt. Gŵr a gwraig. Nid felly ma' trio'i dallt hi? 'Hyd oni wahaner ni gan angau'. Dyna fyddwn ni'n dd'eud, Cerys. A dyna ydi'o. Dyna ddyla fo fod i chi, mam. Ydi partneriaeth oes yn cyfri' dim?

CERYS: Gofyn i fi pan wy'n naw deg.

BET: Braidd yn hen ffasiwn os ca'i ddweud. Mewn egwyddor, hwyrach...

GARETH: Pam hen ffasiwn?

BET: Achos...

GARETH: Wedi bod yn ŵr da, 'dio ddim? Wedi bod yn dad ffantastig!

BET: Pan oedd bod yn ŵr da yn 'i siwtio fo, am wn i. Medru bod yn afresymol; yn 'styfnig a phen-galad weithia'. (WRTH **CERYS**) Gorfod i fi roi'r gora' i 'ngwaith pan anwyd Gareth.

GARETH: 'Dewis chi. Doedd o ddim?

BET: Bobol mawr, nag oedd.

GARETH: Swydd rhan amsar oedd hi p'run bynnag.

CERYS: Paid 'whilo am esgusodion.

GARETH: Dwi ddim yn cofio.

BET: 'Cymaint wyt ti ddim yn 'gofio; wybod.

GARETH: Fel be'? Dwi wedi gweld y llunia'; yr albwm ysgol.

BET: (YSGAFN)
            'Dwy law yn erfyn, sydd yn y darlun...'

            YSBAID.

BET: Bob dydd Gwenar mi fyddwn yn arfar mynd â'r plant i'r
            goedwig. Hel briallu, nodi'r planhigion a'r bloda', tynnu llunia'r
            adar a'r coed.

CERYS: Swno'n neis.

BET: 'Nabod bob plentyn wrth 'i enw. Pan fydda'r gloch yn canu ar
            ddiwedd dydd, 'roedd hi'n ddiwedd byd iddyn nhw. Pob un yn
            f'addoli i; yn hapus i lyncu gwenwyn er 'yn mwyn taswn i ond
            wedi gofyn.

BET YN CYSIDRO **HUW** YN GARIADUS.

BET: Agor 'u cega' yn ufudd a llyncu, heb stŵr o gwbwl. Mi o'ddwn
            i'n 'u caru nhw yn fawr iawn. 'U caru nhw – a'u melltithio nhw
            ar yr un pryd.

CERYS: Huw 'nath y'ch gorfodi chi roi e gyd lan?

GARETH: Nid gorfodi!

CERYS: Nag o't ti 'na. Mae'n rhaid i ti ddangos ffydd yn dy fam.

GARETH: Ma' gin i ffydd yn dad! Tydi'o rioed wedi d'eud clwydda wrtha'i.

BET: Ynglŷn â be'?

GARETH: Pob dim! Ma' gin i ffydd yn y ddau ohonoch chi. 'Rioed.

BET: Ma' angen i ti gael ffydd rwan.

GARETH: A chytuno i roi dad dan glo?

BET: Gwneud y dewis iawn er lles pawb.

GARETH: Dial ydach chi? 'Gosbi fo, am ddifetha'ch 'gyrfa' chi? Pam na fedrwch chi fadda'?

CERYS: Mae'n ddyletswydd ar wragedd i fadde i'w gwŷr rhywbryd ar hyd y daith!

GARETH: Na, Paid â chodi crachan. Ddim heddiw. Ddim rwan.

BET: Pa grachan?

CERYS: Dyna'r cwestiwn tyngedfennol, Bet.

GARETH: Rho gora' iddi.

                      YSBAID.

GARETH:	Mae o wedi bod yn ŵr da a ffyddlon, dyna'r oll dwi'n dd'eud. Mae o'n haeddu gwell. 'Dio ddim?
CERYS:	O'dd e; yn ffyddlon? O's ots 'da chi bo' fi'n gofyn?
BET:	Gawn ni siarad am rwbath arall?
CERYS:	'Na fe. Gwato fe gyd yn y cwtsh dan stâr!
GARETH:	Oedd o, mam?
BET:	Dim gwahanol i bob dyn arall.
CERYS:	'Bach o ladies man?
GARETH:	Paid â d'eud peth fel'na! Paid byth â d'eud peth fel'na am dad!
CERYS:	O'dd e, Bet?
GARETH:	Gad o fod! Deudwch rwbath.
BET:	Fel be'?
	YSBAID.
GARETH:	'Wastad wedi bod yn fymryn o fflyrt am wn i. Ydi, ma' cymaint â hynny'n wir.
CERYS:	Fel pob dyn.
GARETH:	A dynas!
CERYS:	Ma' ffin i gael, Gareth.
GARETH:	Dwyt ti 'rioed yn d'eud.

CERYS:	Falle taw 'na beth ma' dy fam yn 'i olygu: Croesi'r ffin dene 'na.
GARETH:	Ddeudodd hi ddim byd o'r fath! Dyna ydach chi'n 'i dd'eud?
BET:	'Dio bwys erbyn hyn. Mai bechoda' fo wedi'u hen anghofio.
GARETH:	'Dio bwys achos fod pawb yn rhannu'r bai.
BET:	Bai?
GARETH:	Be' fydda'i dd'eud mawr o? 'Yr hyn sy'n iawn i'r ŵydd, sy'n iawn i'r clagwydd!'
BET:	Be' wyt ti'n drio ddweud?
GARETH:	Chi ddeudodd, mam: Fod sawl peth na dwi'n 'u cofio – ynglŷn â chi'ch dau.
CERYS:	Ma' wyneb 'da ti!
BET:	Hitiwch befo.
CERYS:	Pwynto bys ati hi er mwyn achub dy gro'n dy hunan?
GARETH:	Dim o dy fusnes di.
CERYS:	Cadw'n dawel ife, fel y wraig fach dda?
GARETH:	Mai gin ti rwan!
BET:	Peidiwch byth â chadw'n dawel. Bob tro yn gamgymeriad.
	YSBAID.
BET:	Be' wyt ti'n drio ddweud?

GARETH YN YSGWYD EI BEN.

BET: Be' wyt ti'n feddwl?

GARETH: Ma' pawb yn chwara' 'gwmpas! Dyna sy'n g'neud i'r hen fyd
                        'ma droi! Chwara' 'gwmpas, y da a'r drwg, tlawd a chyfoethog,
                        ma' pawb wrthi. Ia, chitha hefyd mam. Dwi wedi sylwi, bob tro
                        daw Gwyn drws nesa' ar 'cyfyl mi 'dach chi fel hogan ysgol
                        mwya' sydyn!

CERYS: Ond heb groesi'r ffin wy'n siŵr!

BET: Dydw'i 'rioed wedi cysidro Gwyn yn ddim mwy na chymydog,
                        barod 'i gymwynas!

GARETH: Dwi wedi sylwi!

BET: Fel 'nest ti sylwi ar dy dad ar hyd y blynyddoedd?

ERYS **GARETH** YN FUD AM ENNYD.

GARETH: Chwara' 'gwmpas. Chwara' 'gwmpas diniwad.

CERYS: 'Whare 'gwmpas diniwed. O'r diwedd! Ma' 'da fe enw
                        swyddogol.

GARETH: Dyna'r oll oedd o.

CERYS: Ife?

                        YSBAID.

BET: Oedd hi'n gwisgo ffrog felyn?

GARETH: Pwy?

BET: Wedi 'thorri'n isal. Y ddynas oedd efo fo…

GARETH: Pa ddynas!?

BET: Lipstig coch wedi 'blastro.

GARETH: Nid sôn am rhywun neilltuol o'n i.

BET: Ond mi wyt ti'n cofio'r ddynas efo'r ffrog felyn, 'n dwyt?

GARETH: Chi oedd honno.

BET: Wyt ti'n siŵr?

GARETH: Dwi'n siŵr! Chi, pan o'n i'n bump oed. Pen-blwydd. Y diwrnod euthon ni 'sgota!

BET: I Bermo ar y trên.

GARETH: Na, mi euthon ni… euthon ni… Dwi yn cofio, mam.

BET: Ge'st ti fachiad?

GARETH: Naddo.

BET: Gafodd o?

                YSBAID.

GARETH: Gafon ddiwrnod da.

BET: Blinedig.

GARETH: Gesh yrru cwch Gwyn!

BET:	Ffrindia' da, Gwyn a Jill.
GARETH:	A'th o â fi allan i ganol y llyn.
BET:	Gysgist ti o gwbwl? Mi oedd dy dad wedi gwneud gwely cyffyrddus i ti yng nghefn y car.
GARETH:	Rhy ecseited i gysgu!
BET:	Ddaru Jill yrru'r gwch? Wrth 'i bodd ar y dŵr.
GARETH:	Na... Mi arhosodd Jill ar y lan. Efo dad.
BET:	Oedd hi'n gwisgo ffrog felyn?
GARETH:	Sut ddiawl gwn i! Plentyn o'n i.
BET:	Am faint fuo chi ffwrdd?
GARETH:	Lle...?
CERYS:	Mas yn y glaw; yn erbyn wal; yn y tywyllwch.
BET:	Ar y llyn efo Gwyn.
GARETH:	Dim syniad. Dwyawr?
CERYS:	Drosto mewn dou funud fel arfer. Wy'n dala lan, Bet.
GARETH:	Be'di'r ots!?
BET:	A phan gyrhaeddoch chi 'nôl?
GARETH:	Esh i chwilio am dad.

BET:	Ddoist ti o hyd iddo fo?
GARETH:	Do, debyg! Go brin 'bydda fo'n anghofio 'mod i yno. 'Redodd i 'nghwfwr i. 'Roddodd 'i freichia' amdana'i yn dynn. Mi oedd o mor hapus.
BET:	A Jill…?
GARETH:	Do… Mi ddoth yn 'diwadd. (CYSIDRO) Wedi bod yn cysgu yn gefn y car.
BET:	Car pwy?
GARETH:	Efo'i fotobeic ddoth Gwyn.
CERYS:	Nice one.
GARETH:	Be'?! Cysgu oedd hi. Wedi blino'n lân.
CERYS:	Os 'ti'n gweud.
GARETH:	Dyna oedd o, Cerys!
BET:	Oedd hi'n gwisgo ffrog felyn?
GARETH:	Oedd.

BET, GARETH A **CERYS** YN LLONYDD.

HUW YN CODI EI GOES A GOLLWNG CLAMP O RECH. Â'R GOLAU I DYWYLLWCH.

ACT 2

GOLYGFA 11

YN Y GOLAU NEWYDD, MAE **HUW** A **BET**, A **GARETH** A **CERYS** YN DAWNSIO; WALTZ. FEL O'R BLAEN, **HUW** YN GWBL HYDERUS, A **BET** YN HAPUS I'W DDILYN. **CERYS** YN DILYN **GARETH**, OND YN BWDLYD A CHYNDYN.

DAW'R GERDDORIAETH I BEN. CYMERIAD **HUW** YN NEWID YN SYTH A SYLWEDDOL. Â'N DDRYSLYD A PHOENUS. MAE'N DECHRAU PELTIO **BET**. **CERYS**, GAN DDILYN ESIAMPL **HUW** YN DECHRAU PELTIO **GARETH**. NI WNA **GARETH** NA **BET** FAWR O YMDRECH I AMDDIFFYN EU HUNAIN.

GOLAU YN NEWID.

GOLYGFA 12

HUW A **GARETH** GYDA'I GILYDD.

HUW: Ydi'n bwrw?

GARETH: Pigo.

                      YSBAID.

HUW: Ydi'n bwrw? Wrth 'y modd efo glaw pan o'n i'n blentyn. Gyrru mam o'i cho', ond fedrwn i ddim madda'.

GARETH: Daliwch ati. Deudwch pob dim.

HUW: Mam; athrawon; Jos siop. Gyrru pawb yn wallgo.

GARETH: Sut hynny?

HUW: Sut hynny? Be' 'di peth felly?

GARETH: Sori! Jyst... deudwch.

HUW YN RHYTHU. CODI LLAW AR **GARETH**, FEL PE BAI O'N CYFARCH DIEITHRYN.

GARETH: Ffycin hel.

                      YSBAID.

HUW: Wrth 'y modd ar gefn 'y ngheffyl yn y glaw. John Wayne; Jesse James cyn iddo ddechra' gwneud dryga; Geronimo, heb gyfrwy. Cyrraedd bob man yn wlyb socian. Ond nid 'mod i'n malio botwm. Y glaw ar 'yn wynab i oedd y teimlad gora' yn y byd yn grwn. Ond ddim yn ymarferol iawn. Amhosib penio i'r rhwyd pan ma'r glaw yn dy wynab di!

GARETH YN GWENU'N HOFFUS.

HUW: Weithia' yn galapio ar draws yr afon trwy'r dŵr bach. O El Paso
                     i Juarez. Cweir yn 'y nisgwyl i fel rheol. Mam; athrawon; Jos
                     siop.

                     YSBAID.

HUW: Wyt ti'n cofio 'Big Chief, no shit – Big shit, no Chief'?

GARETH: (CHWERTHIN)
                     Chlywis i mo'ni ers oes!

HUW: Cofio'r tro cynta'? Bison!

GARETH: Yr ora'! Deudwch hi eto!

HUW: Y stori?

GARETH: Fel 'stalwm, dad.

HUW: Wrth 'y modd efo glaw pan o'n i'n blentyn.

GARETH: Na, 'rhoswch efo fi. Y stori ddoniol am Sitting Bull. Fo oedd o?
                     Shitting Bull, dyna ddeudsoch chi unwaith.

HUW: Oedd Geronimo yn dad i Sitting Bull, ta fel arall oedd hi?

BET A **CERYS** YN YMUNO Â'R SGWRS.

GARETH: Peidiwch â d'eud gair o'ch pen! Peidiwch â gofyn dim iddo fo!
                     Ffwr' chi, dad.

ERYS **HUW** YN FUD A DI-EMOSIWN.

GARETH: Dowch 'laen, dad. Fo ydi'o, mam!

ERYS **HUW** YN FUD A DI-EMOSIWN.

GARETH: Ydach chi'n cofio'r stori 'Big Chief, no shit – Big shit, no Chief'?

CERYS: Swno'n hyfryd!

GARETH: Dwi'n gofyn i mam!

BET: Gofyna iddo fo.

GARETH: (WRTH **BET**)
Ydach chi'n cofio?

BET: Tydi o ddim.

GARETH YN AROS, YN OBEITHIOL. ERYS **HUW** YN FUD A DI-EMOSIWN.

BET: Y gacan gyfa', Gareth.

GARETH: Fo oedd o. Bendant, fo oedd o.

CERYS: Beth yw'r stori?

GARETH YN CODI GWAR. COLLODD DDIDDORDEB.

CERYS: Wel beth yw hi?

GARETH: Dwi'm yn gwybod! Dwi'm yn cofio! Mi oedd hi'n fa'ma (PEN) ond rwan ma' hi wedi mynd! Ma'r gola' wedi diffodd! Pam na helpith o fi? Pam!?

BET: Dydi'm rhaid i mi ddweud, does bosib.

GARETH: A dydi'm rhaid i mi gredu! Dwi'n gwrthod credu! Nid fel hyn. Nid... pob dim; y job lot. Drychwch arno fo! Dad ydi'o. Drychwch ar y wên ar 'i wynab o. Mae o'n dallt.

CERYS: Wedyn pam na wedith e beth 'ti moyn glywed?

GARETH: Cyfnod gwael. 'Fedrith ddigwydd. Mi fedra i fynd o un 'stafell
                i'r llall i 'nôl rwbath, ond erbyn i mi gyrraedd dwi wedi
                anghofio.

CERYS: O un 'stafell i'r llall?

GARETH: Hollol normal!

CERYS: Pwy sy'n gweud?

GARETH: 'Gyd yn 'i 'neud o!

CERYS: Wy ddim!

BET: Wrth gwrs 'i fod o'n normal. Paid â phoeni. Huw wedi bod yn
                hynod o anlwcus.

GARETH: Mae o, tydi? Ond dyna hi rwan, ia? 'Deith o ddim gwaeth, na
                wneith? Mam?

                YSBAID.

GARETH: Ydi o'n heintus?

Â **GARETH** YN DDAGREUOL.

GARETH: O dad i fab?

GARETH YN WYLOFAIN YN DAWEL.

GOLAU YN NEWID.

GOLYGFA 13

GARETH A **CERYS** EFO'I GILYDD.

CERYS: Hei, paid becso.

MAE HI'N YMESTYN EI LLAW. **GARETH** OND YN RHY FALCH O'I CHYMRYD.

CERYS: Wy'n dy garu di, Ga.

COFLEIDIANT. **CERYS** YN CYSIDRO **HUW**.

CERYS: Falle o't ti'n mental.

GARETH YN GWENU'N LLETCHWITH.

CERYS: Meddw... a mental.

COFLEIDIANT. **GARETH** YN CYSIDRO **HUW**.

CERYS: Mae'n iawn. Mae e'n dal 'na.

GARETH: Dwi isio credu hynny gymaint.

CERYS: Odyn ni?

GARETH: Dwi'n dy garu di, Cerys.

CUSANANT YN DYNER.

GARETH: Oeddat ti o ddifri'n meddwl y byddwn i'n taflu'r cwbl am fymryn o grôp?

CERYS: 'Na beth o'dd e?

GARETH: Ffordd o siarad. Dim.

CERYS: Nage 'whare byti o'ch chi?

GARETH: Malu awyr. 'Run peth.

CERYS: A grôp?

         YSBAID.

CERYS: Rhannu sigaret? Credu wedest ti 'na.

GARETH: Do 'fyd? Mwy na thebyg. Dwi am roi'r gora' iddi.

CERYS: Sawl sigaret? A phryd? Cyn; yn ystod; wedyn? Gas iechyd 'i
         beryglu?

GARETH: (CHWERTHIN)
         Paid â bod yn wirion! Anghofia fo. Siaradwn ni amdanon ni, ia?

CERYS: Ie, yn y funed. Wy jyst moyn tseco'r busnes 'grôp' 'ma?

GARETH: Ddeudis i 'grôp'? Twtsh yn nes ati.

CERYS: Twtsh.

GARETH: Cyffyrddiad. Camddealltwriaeth. Fel dad a Jill, flynyddoedd yn
         ôl.

CERYS: Yn y ffrog felyn?

GARETH: Wedi 'i hen anghofio.

CERYS: Dyw Bet ddim wedi anghofio.

GARETH: Oreit! Be' tasa ni'n rhoi stop arni yn fan'na. Tiwn gron ar
             f'enaid i. Stop!

CERYS: Licen i. Wy'n despret i 'neud. Ond ddim cyn bo' ni'n sefydlu'r
             ffeithie.

GARETH: 'Welist be' ddigwyddodd!

CERYS: Weles i chi'n camu 'wrth y'ch gilydd, achos bo' chi wedi sylwi
             bo' fi 'na. Wy'n trio troi'r cloc 'nôl; trio dychmygu'r senario cyn
             i fi gyrredd.

GARETH: Mymryn o law grwydrol! A dyna ni. Y'n dau yn pissed! Dyna hi
             a diwadd arni.

CERYS: Llaw pwy? Pa law gollodd reolaeth, un ti neu Shelley?

GARETH: O... ffwcio hyn!

CERYS: Wy'n gweddio o waelod calon nag yw 'ffwcio' yn rhan o'r
             cymhwysiad.

GARETH: 'Yn llaw i! 'Yn llaw i oedd hi. Fodlon?

CERYS: 'Le'r a'th hi?

GARETH: Taro yn 'i herbyn hi yn ysgafn. Dim.

CERYS: Erbyn 'le? Ysgwydd? Tits? Clit?

GARETH YN YSGWYD EI BEN MEWN ANOBAITH.

CERYS: 'Nest ti roi dy law ar 'i thits hi?

GARETH: Do! Do, mi wnes! Rwbath arall?

CERYS: Sai'n gwbod. Gwed ti.

GARETH: Faint rhagor wyt t'isio?

CERYS: Ma'n amlwg fod rhagor i'w 'weud.

GARETH: D'eud ti ta. Penderfyna di.

CERYS: 'Ti'n rhoi y chat iddi yn y bar; 'ti'n mynd â hi tu fas. Dim siarad,
                dim 'whare byti, dim rhannu sigaret. 'Ti'n rhoi hi sefyll yn erbyn
                y wal; 'ti'n codi sgyrt hi lan; 'ti'n cnycho'i. A wedyn 'ti'n
                anghofio.

GARETH: Tydw'i ddim yn anghofio!

GOLAU YN NEWID.

GOLYGFA 14

BET A **HUW** GYDA'I GILYDD.

HUW: Be' am fynd am sgowt!

BET YN FALCH – OND YCHYDIG YN AMHEUS.

BET: Wyt ti o ddifri'?

HUW: Aberdaron! Ma' oes ers i ni fod yno.

BET: Yn y...? Sut awn ni?

HUW: Yn y car wrth rheswm!

BET: Ddreifia i!

HUW: Na, ddreifia i.

BET: Gad i mi wneud.

HUW: Ond... mi wyt ti'n ddreifar diawledig! Gor-yrru; trwy ola' coch ddoe ddwytha, fu ond y dim i ti daro rhywun!

BET: Y chdi oedd hwnnw, Huw.

HUW: Ia, 'fyd?

BET: Dyna pam mai fi ddyla ddreifio.

HUW: Wir? Dwed eto be' ddylwn i fod yn wneud.

BET: Cymryd hoe. Mwynhau y wlad o dy gwmpas.

HUW:	Ia, debyg iawn. Syniad da. Ardderchog!
	YSBAID.
BET:	(GOFALUS) Wyt ti'n barod?
HUW:	Be' am fynd am sgowt yn y car? Ddreifia i.
BET:	Ddreifia i; a gawn ni ginio bach neis mewn tafarn yn rhwla!
HUW:	Mi fedrwn ofyn i'r dyn drws nesa' a'i wraig os ydyn nhw ffansi dwad efo ni.
BET:	Go brin y byddan nhw.
HUW:	Be' 'tasa ni'n gofyn i'r dyn drws nesa' a'i wraig os ydyn nhw ffansi dwad efo ni?
BET:	I ffwr' dwi'n credu.

HUW YN LLED-NODIO, OND MAE'N DECHRAU DRYSU.

BET:	Iawn, Huw?
HUW:	Ddreifia i.
BET:	Ddreifia i.
HUW:	Be' am y bobl drws nesa'?
BET:	Be'di henwa nhw! Ty'd rwan, mi wyt ti'n gwybod.
HUW:	Ydw, 'tad! Mi wyddwn i hynny o'r cychwyn.

BET: Wel?

HUW: (YN DDI-YMDRECH)
                  Gwyn a Jill.

BET: O, 'nghariad i!

MAE'N EI GOFLEIDIO. AM ENNYD, MAE HI'N HYNOD O HAPUS. **HUW** YN GWENU.

HUW: Gwyn a Jill!

BET: Ia!

HUW: Gofynna iddi wisgo'i ffrog felyn.

BET: Neu 'i chôt fawr las hwyrach.

HUW: Syniad ardderchog.

BET: Ydi'o? (MAE HI'N AROS) Wisga'i 'nghôt fawr las, ia?

HUW: Biti na fyswn i wedi meddwl am hynny!

BET YN EI GOFLEIDIO ETO.

BET: Dwi'n dal i dy garu di, Huw.

HUW: Paid, wir. Mi fydd y wraig yn stowt.

BET: Dwi'n dy garu di.

HUW: Rho gora iddi, dwi'n caru 'ngwraig!

                  YSBAID.

BET:	Sut beth ydi?
HUW:	O, ma' hi'n... Ffeind; cysidrol; tyner. Llais canu hyfryd...
BET:	Wyt ti isio i mi ganu?
HUW:	Dwi wrth 'y modd yn dwad adra. Ma' hi wastad yno, yn aros amdana'i.
BET:	Wastad.
HUW:	Mi fyddwn yn cofleidio – neu'n hytrach mi fydd hi'n cydio ynai'n dynn.
BET:	Wnei di ddim anghofio – wnei di?
HUW:	Cydio'n dynn; rhoi caws a jam o 'mlaen i; dal 'yn wyneb i yn 'i dwylo, a gofyn: Dwad i mi, Huw bach, be' wnest ti yn yr ysgol 'na heddiw?

GOLAU YN NEWID.

GOLYGFA 15

CERYS YN CYSIDRO **HUW**.

CERYS: Shwd 'ych chi, Huw?

HUW: Ydi Bet hyd y fan 'ma?

          YSBAID.

HUW: Mi oedd gin i wraig unwaith. 'Bet' oedd 'i henw hi. Coesa' del.

          YSBAID.

HUW: 'Ddrwg gin i. Ma'n rhaid i chi ddweud pwy ydach chi.

CERYS: Cerys, cariad Gareth; 'ych mab, Gareth.

HUW: Wrth rheswm mai dyna pwy ydach chi! Mi wyddwn i hynny. Maddeuwch i mi.

CERYS: Sdim i'w fadde.

HUW: Ydach chi wedi bod yn hogan ddrwg?

CERYS YN GWENU.

HUW: Mi oedd gin i wraig. 'Cerys' oedd 'i henw hi.

CERYS: Ie, wy'n cofio.

HUW: Ydi hi efo chi?

CERYS YN YSGWYD EI PHEN.

HUW:	Mi 'dach chi'n edrych yn hyfryd heddiw. Coesa' del.
	YSBAID.
HUW:	Fysa ots gynno chi eistedd ar 'yn wyneb i?
CERYS:	Nag 'ych chi'n meddwl 'glin'?
HUW:	Fysa chi?
CERYS:	Beth am jyst ddala dwylo am nawr?
HUW:	Cydio dwylo. Champion. 'Di fiw rhuthro.

CERYS YN CYMRYD LLAW **HUW** – FEL MAE **GARETH** YN DOD YN RHAN O'R SGWRS.

GARETH:	Be' 'ti'n 'neud?
HUW:	A! Yr hogyn 'i hun.

YN FWRIADOL BRYFOCLYD, **CERYS** YN EISTEDD AR LIN **HUW**.

HUW:	Wel dyma braf!
GARETH:	Cymryd y piss? Ty'd oddi arno fo! Iawn, dad?
CERYS:	Iawn, Huw? Dodwch fi'n galed yn erbyn y wal!
GARETH:	Rho gora iddi!
CERYS:	'Chi moyn i fi eistedd ar 'ych wyneb chi; licech chi 'nny?
GARETH:	Ffycin hel...!

CERYS: Neu allen i roi blowie i chi? Dewch 'mla'n, Huw, sda fi ddim drwy'r nos!

CERYS YN CYMRYD LLAW **HUW** A'I DODI YN BWRPASOL RHWNG EI CHOESAU.

GARETH: Gad lonydd iddo fo!

GARETH YN EI LLUSGO ODDI ARNO. **CERYS** YN YMLADD YN ÔL GYDA DYRNAU A THRAED.

CERYS: Ffyc off! Cer i ffycin grafu!

GARETH YN CAMU YN ÔL.

HUW: Ydach chi isio'n rhif i?

GARETH: Cauwch hi!

CERYS: Gas hi dy rif di? Ofynnodd hi?

HUW: Efo chdi ma' hon? Be' 'di henw'i?

CERYS: Shelley!

GARETH: Dy ffwcio di!

HUW: Enw anarferol!

CERYS: Merch anarferol yn ôl y sôn!

GARETH: Mi lladdai di!

HUW: Mae o'n flin iawn ynglŷn â rhywbeth.

CERYS: Odi! Ond smo fe moyn siarad byti fe. Wyt ti? Sori, beth yw dy
                enw di 'to?

GOLAU YN NEWID.

GOLYGFA 16

BET A **CERYS** GYDA'I GILYDD.

BET: 'Doedd dim rhaid iddo fo 'rioed. Di-alw amdano.

CERYS: 'Da pwy?

BET: 'R un ohonyn nhw.

CERYS: Sawl un?

BET: Wnes i'm gofyn.

                      YSBAID.

BET: Mi oeddwn i yno; wastad yno iddo fo.

CERYS: Wedyn pam?

BET: I ffwr' yn aml. Teimlo colled; unigrwydd. Dechra' dweud, pan na sgin yr hogyn papur amser am sgwrs.

CERYS: O'n i'n gofyn am Huw.

BET: Am Gareth.

                      YSBAID.

BET: Ma' nhw'n mwydro; yn poitsio; yn rhedeg ar ôl merchaid.

CERYS: A disgwyl maddeuant.

BET:	Am rhywbeth dibwys wedyn? Wyddoch chi ddim be' ddigwyddodd. Oedd o'n feddw?
CERYS:	Smo 'nny'n esgus. Gobitho bod e.
BET:	Y da a'r drwg. Er gwell, er gwaeth. Tipyn o'r ddau.
CERYS:	A rheswm? Rhaid bod rheswm! Neu elen i'n boncyrs. Beth os o'dd dim rheswm, heblaw am ffansio tam bach o sgert? Beth fydde 'nny'n 'y ng'neud i? Ni?
BET:	Ymarferol.
	YSBAID.
BET:	Bob amser yn dwad yn ôl. Cofiwch hynny.
CERYS:	Bob amser?
BET:	Os na ddown nhw, mae wedi canu arnoch chi.
CERYS:	Bydden i ddim moyn e 'nôl!
BET:	Ydach chi'n 'i garu o?
CERYS:	Beth tase hi'n 'i garu e? Beth tasen i'n ffaelu gyrredd e?

BET YN CYSIDRO **HUW.**

BET:	Gweithio ddwy ffordd.
CERYS:	Beth?
BET:	Cariad. Na, angen; yr angen i deimlo rhywun cynnes wrth y'ch ochor.

CERYS: Allen i byth â bod yn anffyddlon!

BET: Mi synnach.

                        YSBAID.

CERYS: Bet...?

BET YN YSGWYD EI PHEN. **CERYS** YN CYSIDRO **HUW**.

CERYS: Fydde neb yn 'ych beio chi.

BET: Welwch chi? Mi 'dach chi'n chwilio am ffordd yn barod.

GOLAU YN NEWID.

GOLYGFA 17

BET A **HUW** GYDA'I GILYDD.

HUW: 'Bet' oedd 'i henw'i.

                YSBAID.

HUW: 'Ces i hi fyny 'thin. Roedd hi'n hynod.

BET: Wyt ti'n berffaith siŵr?

HUW: Bendant. Fyny i'r bôn.

BET: Dwi ddim yn meddwl y bydda fo'n brofiad pleserus iawn iddi.

HUW: Ddwywaith; y ffordd yna. Dwad ddwywaith.

BET: Os wyt ti'n dweud.

HUW: Paid â sôn. Dim gair wrth y wraig.

                YSBAID.

HUW: 'Ces i hi fyny 'thin.

BET YN EI FWYTHO YN DYNER.

BET: Mi oeddat ti tu mewn iddi; mi oeddat ti'n dyner iawn; arhosist ti tu mewn iddi am yn hir iawn. Mi frwshist 'i gwallt hi efo dy wefusa'; sibrwd geiria' o gariad i'w chlust hi. Roedd hi wrth 'i bodd.

HUW: Oedd hi? Dwi ddim yn cofio. Dwi ddim hyd yn oed yn cofio'i henw hi.

65

BET:	'Bet' oedd 'i henw'i.
HUW:	Stryd Fawr, Bangor. Esh â hi i'n stafall yn y Castle.
BET:	Paris.
HUW:	Dulyn, rhyw dro. Sodro'i yn erbyn colgolofn Wolf Tone.
BET:	Paris.
HUW:	Cae yn Sir Fôn, y dyddiad wedi'n hen adael i. Rhoi hi orfadd ar y borfa wlyb.
BET:	Paris.

YSBAID. |
HUW:	'Bet' oedd 'i henw'i.
BET:	Ia, Huw. 'Bet' oedd 'i henw'i. Waeth befo am ddim arall, ond paid byth ag anghofio'i henw hi.
HUW:	'Bell o fod yn bisyn cofia. Ond dyna fo – yn well na dim, decini.

GOLYGFA 18

BET A **GARETH** GYDA'I GILYDD.

GARETH: Clên.

                   YSBAID.

GARETH: Gwyn Preis. Ffeind.

BET: Mi wyddat hynny.

GARETH: Wedi anghofio. Na! Ddim yn hollol. Dwi ddim yn anghofio.
                   Ond mae o'n glên. Hitha' hefyd.

BET: Ma' Jill yn agos atoch chi.

                   YSBAID.

BET: Eith â'r ci am dro weithia'. Ddaw o ddim i'r tŷ. Ydi, mae o'n
                   ffeind iawn.

GARETH: Ond ddaw o ddim i'r tŷ?

BET: I weld Huw.

                   YSBAID.

GARETH: Plîs, mam. 'Dio ddim yn wir, nach'di?

BET: Be'?

GARETH: Chi a fo?

BET:	'Tinddu', medd y frân wrth y wylan.
GARETH:	Waeth be' ddaru dad mi oedd hynny flynyddoedd yn ôl.
BET:	Nid dial ydio!
GARETH:	Felly mae o'n wir? O Dduw…

ERYS **BET** YN DDI-EMOSIWN.

GARETH:	Ma'n rhaid y'ch bod chi wedi madda'. Go brin fydda chi efo'ch gilydd fel arall.
BET:	Dal i frifo.
GARETH:	Ond mi oedd o'n gwybod be' oedd o'n wneud! Mi oedd y ddau ohono' chi yn yr un cwch.
BET:	Fel chdi a Cerys?
GARETH:	Mi fysa chi wedi medru gwneud rwbath ynglŷn â fo.
BET:	Fel Cerys?
GARETH:	Fedar o ddim! Rwan! Os ydach chi a… (SAIB) Ddim rwan.
BET:	'Tasa rhywbeth yn mynd ymlaen, na 'ti'n iawn, fedra fo wneud affliw o ddim am y peth.
GARETH:	Oes 'na?
BET:	Fydda neb yn 'y meio i.
GARETH:	Mi fyddwn i!

BET: Mymryn yn rhagrithiol, Gareth.

                        YSBAID.

BET: Dibynnu be' ydi ystyr 'mynd ymlaen' am wn i.

GARETH: Chi ddeudodd hynny.

BET: Yn feddw un noson, yn erbyn wal, math yna o beth?

GARETH: Ha, ha. Doniol iawn.

BET: Be' galwist ti o hefyd? Chwara' 'gwmpas! Ia, dyna fo.

GARETH: Ydi'n dweud y cwbl?

BET: Na, Gareth – wyt ti'n dweud y cwbl wrthi hi? Os cwymp,
                        disgyn i'r gwaelod un.

                        YSBAID.

GARETH: Chwara' 'gwmpas.

BET: Fflyrtio?

GARETH: Dim mwy.

BET: A finna. Fflyrtio. Chwara' 'gwmpas. Lladd y diwrnod. Dyna'r oll
                        sy' ddweud.

GOLAU YN NEWID.

GOLYGFA 19

BET, GARETH A **CERYS** GYDA'I GILYDD. **HUW** YN BRESENNOL OND YN EI FYD EI HUN.

GARETH: Mi fedran; yn hawdd: Rhoi'r fflat ar rent, prynu rhwla yn y topia' 'ma.

CERYS: Dod lan fan hyn i fyw?

BET: Eitha' cam.

GARETH: Hawdd.

CERYS: Shwd hynny?

GARETH: Na, paid...

GARETH YN CYSIDRO **HUW**.

GARETH: Dim 'shwd hynny'. Tydi'o ddim yn dallt.

CERYS: Smo fe'n diall dim! Beth ffyc sy'n bod arnat ti! Sori, Bet. Flin 'da fi.

YSBAID.

GARETH: Be' 'dach chi'n feddwl, mam?

BET: Nid 'yn lle i ydi dweud.

GARETH: Mi fydda'n help, 'yn bydda?

BET: O, yn help. Bydda siŵr.

70

GARETH:	'M'ots i fi lle dwi'n gweithio. 'Dio bwys. Mi fedrat titha' drafeilio.
CERYS:	Bob dydd?
GARETH:	Bob wythnos.
CERYS:	Gweld llai o'n gilydd? Swno'n dda i fi.
GARETH:	Ma' pobl yn gwneud.
CERYS:	Llai a llai.
	YSBAID.
CERYS:	Fydde hyn ar ôl i ni briodi?
GARETH:	Bydda, yn amlwg!
BET:	Gŵr a gwraig. Pam nid dyn a dynas?
CERYS:	Gwraig a chrwydryn.
GARETH:	Anghofia fo.
CERYS:	Na, licen i fynd o dan y wyneb tam bach. Sdim lot o sôn am y briodas 'i hunan; ma' 'nna'n 'y mecso'i. Ma'r cynllun sda ti yn cymryd y bit 'na yn gwbl ganiataol. Y diwrnod; y seremoni?
GARETH:	Be' 'ti'n drio ddweud?
CERYS:	Rhwbeth arall i'w ddympo yn y cwtsh dan stâr. Wy'n gweld itha lot, Gareth, ond ar y funud dyw sefyll ar dy bwys di o fla'n yr allor ddim yn un ohonyn nhw.

BET:	Ydach chi'n angen i i hyn?
CERYS:	Fydde ots 'da chi aros?
GARETH:	Mi fydda ots gin i!
CERYS:	Adewn ni Bet i benderfynu.
GARETH:	Pam na wnei di ganslo'r cwbl a diwedd arni.

HUW YN LLITHRO EI LAW I DU MEWN EI DROWSUS. MAE'N AMLWG EI FOD YN CHWARAE GYDA FO'I HUN. MAE'R TRI YN YMWYBODOL, A **GARETH** YN BENDERFYNOL O'I ANWYBYDDU.

GARETH:	Siarad am y briodas, dad!
CERYS:	Odi e'n fyddar 'fyd?
GARETH:	Sut mae'r araith yn siapio?

HUW YN DAL I CHWARAE GYDA FO'I HUN.

GARETH:	Mam?
BET:	'Di fiw i mi atal o. 'Wneud o deimlo'n dda mae'n debyg.
CERYS:	O'dd e'n dda i ti, Gareth. Ar y dechre; falle uchafbwynt – beth o'dd e?
GARETH:	O flaen mam?
CERYS:	Pan o't ti'n grwt? O, ciwt!
BET:	Digon, Cerys.

GARETH: Mwy na digon! Cansla. Cansla'r dam peth.

MAE'N AMLWG BELLACH FOD **HUW** YN HALIO FFWL PELT. **CERYS** YN EI GYSIDRO'N WRTHRYCHOL.

CERYS: Ddarllenes i'n rhwle fod y sawl sydd wedi cael anaf i'w ymennydd yn joio'r teip 'na o beth.

GARETH: Fuodd o ddim mewn damwain!

CERYS: Sai'n cofio 'le weles i fe. Ma' 'nna'n wir, nag yw e Bet?

GARETH: Paid â gofyn iddi hi! Pa iws gofyn iddi hi! Drychwch arno fo! Sut ddiawl fuo chi 'run fath? O gawr... i hyn! A chitha'i fod yn morol! Lle oeddach chi, mam?

HUW BRON Â CHYRRAEDD UCHAFBWYNT.

GARETH: Iesu mawr, deudwch rwbath wrtho fo!

BET: Ddim yn fa'ma cariad.

HUW YN CAU EI LYGAID A GRUDDFAN, WRTH IDDO DDWAD. MAE'N AGOR EI LYGAID.

HUW: Sgin rhywun sigaret?

BET A **CERYS** YN PISO CHWERTHIN YN REDDFOL. ERYS **GARETH** YN SYBER IAWN.

GOLAU YN NEWID.

GOLYGFA 20

BET, HUW, CERYS A **GARETH** GYDA'I GILYDD.

HUW: Glywsoch chi'r newyddion? Dwi newydd glywed y newyddion. Dyn; yn y blwch yn y gornel. Peth dwytha o'n i'n ddisgwyl. Brawychus.

BET: Pa newyddion?

HUW: Robert Kennedy wedi cael 'i saethu.

GARETH: Oes yn ôl, dad.

BET: Na, paid â'i ddrysu o.

HUW: Be' ddeudodd o?

YSBAID.

HUW: Be' ddeudodd o?

BET: Anwybyddwch o. Dwi wedi blino'n lân.

CERYS: Trychineb ofnadw, Huw.

GARETH: Be' ma' mam newydd ddweud? Ignoria fo.

CERYS: Gwato fe yn y cwtsh dan stâr?

GARETH: Dy ffwcio di.

YSBAID.

HUW: Yn y gegin oedd o.

CERYS: Pwy?

HUW: Plicio tatws. Wy 'di ferwi. Bang bang!

CERYS: Pwy saethodd o?

GARETH: Cau hi!

CERYS: Oedd e'n briod? Pŵr basdyd!

HUW: 'Ddrwg gin i, ond mae'n rhaid i chi ddweud wrtha'i pwy ydach
                   chi.

CERYS: Cerys; ffliwsi Gareth.

GARETH: Ffyc off.

BET: Gareth!

HUW: A phwy 'di hon?

BET: Bet ydw i. Paid â phoeni. Fi ydi dy wraig di, Bet.

HUW: A phwy ydi'r person arall?

CERYS: Robert Kennedy.

GARETH: Iesu bach!

BET: Peidiwch â'i gymryd o'n sbort.

GARETH: Dowch â fo'n ôl at 'i goed, mam.

BET:	Pa flwyddyn ydi hi, Huw?
HUW:	Mehefin y pumed, mil naw chwe wyth.
GARETH:	Na, dwy fil ac un deg chwech ydi hi. Pa flwyddyn ydi hi?
HUW:	Ebrill.
CERYS:	Pwrs.
GARETH:	Pa flwyddyn…?!
BET:	Paid â gweiddi.
GARETH:	Dwi'n cofio, pam na fedrith o!
	YSBAID.
HUW:	Dwy fil ac un deg chwech.
GARETH:	Dyna fo, ylwch! Syml. Diolch, diolch, diolch. Pa fis ydi hi?
HUW:	Ebrill?
GARETH:	Na, Rhagfyr.
HUW:	Rhagfyr.
GARETH:	Ia, Rhagfyr. Pa ddyddiad ydi hi?
BET:	Cwestiwn dyrys.
HUW:	Trydydd. Dwi'n iawn?
GARETH:	Ia, y trydydd.

CERYS: 'Ti'n tseto. Ugeinfed yw hi.

GARETH: Dydi'm ots.

CERYS: O's, ma' ots.

GARETH: Na, does ddim.

CERYS: O's! 'Ti'n ffycin tseto ac wy'n dy gasáu di!

BET: Peidiwch â dal gafael. Mi syrthiodd ar 'i fai. Yndo?

GARETH: Os 'dach chi'n dweud.

CERYS: 'Chi'n gweld? Dyw e ddim yn edifar tamed. Smo fe'n becso'r
                dam.

GARETH: 'Ti'n iawn. Y fo, dyna'r oll dwi'n falio amdano fo. Dowch laen,
                dad. Pa ddiwrnod ydi hi?

HUW: Dwed ti wrtha i. Chdi sy'n gwybod y cwbl.

BET A **CERYS** YN CHWERTHIN. **GARETH** YN TEIMLO BRAIDD YN FFLAT. **HUW** YN
EI GYSIDRO YN OFALUS.

HUW: Ma' dy wyneb di'n gyfarwydd.

GARETH: 'Rhoswch chi: Robert Kennedy? Wedi marw dwi'n meddwl,
                dad.'I saethu ar falconi.

BET: Martin Luther King oedd o.

GARETH: Ia 'fyd?

CERYS: 'Chi'n siŵr, Bet? Dyw Gareth byth yn anghofio! Wyt ti?

YSBAID.

HUW:
'Nabod yr wyneb. 'Nabod o unwaith. Mi fydda'n arfer dweud straeon digri. Wrth 'i fodd yn 'sgota. Chwara' mymryn ar y gitâr. Cerddor anobeithiol, ond yn hoff o ddifyrru'i hun. Gwneud fawr, dyddia' yma. Dwi'i ofn o; ofn be' lasa fo wneud. Mae o'n rhythu; yn rhythu arna'i o'r drych. Wyneb yn y drych. Mi liciwn i taswn i'n medru cofio'i enw fo.

GOLAU YN NEWID.

GOLYGFA 21

GARETH A **CERYS** GYDA'I GILYDD.

CERYS: Wy'n trio gweld pethe o safbwynt dy fam. Mor greulon iddi hi. Cadw'r ffydd ar hyd y blynydde – wedyn boddi ar bwys y lan. Er, gwell boddi bryd 'nny na reit yn y dechre sbo.

GARETH: Un tro trwstan. Cadw reiat meddw. Dim cymhariaeth.

CERYS YN CYSIDRO **HUW**.

CERYS: 'I gyflwr e o'n i'n meddwl.

GARETH: Dim o gwbl! Dydi'o ddim yn etifeddol, Cerys. Ma'r peryg y digwyddith o i mi bron â bod yn ddim.

CERYS: Pryd wnest ti hyfforddi i fod yn ddoctor? Mises i hwnna.

GARETH: Dwi wedi ymchwilio!

CERYS: 'Ti ddim yn arbenigwr. Beth tase ni jyst yn canolbwyntio ar dy fercheta di?

GARETH: Iawn, os ydi'n well gin ti 'nghasáu i am hynny. Ond paid â rhagweld 'y nhranc i, plîs.

CERYS: Wy ddim yn dy gasáu di gyd.

GARETH: 'Ti'n 'y ngharu i? Dwi'n dy garu di.

CERYS: Ie, ond 'ti ond yn 'i 'weud e; ma'r euogrwydd yn dy orfodi di 'weud e. Tasen i'n madde'n llwyr i ti fyddet ti ddim yn 'y ngharu i gyment – neu meddwl dy fod ti.

GARETH: Wnei di fadda' i mi?

CERYS: 'Nai ddim anghofio.

GARETH: Ond wnei di?

CERYS: Anghofio?

                 YSBAID.

CERYS: Beth 'ti'n garu fwya' byti fi?

GARETH: Na, paid â gofyn hynna i fi.

CERYS: Beth yw e: Deallusrwydd; corff; sgilie garddio – beth?

GARETH: Dwi'n dy garu di gyd, Cerys – hyd yn oed heb yr euogrwydd.

CERYS: Wedyn beth o'dd 'da hi sda fi ddim? Nage'r rhyw! Plîs paid
                 gweud taw jyst y rhyw o'dd e! Os o'dd e, wy'n gwbl ddibwys a
                 mae e drosto.

GARETH: Be' 't'isio 'mi ddweud?

CERYS: Bydd yn ofalus iawn beth 'ti'n 'weud. Ma'n dyfodol ni'n
                 dibynnu arno fe.

GARETH: Wyt ti'n addo peidio gwylltio?

CERYS: Odi'r gwir yn mynd i 'neud fi'n grac?

GARETH: Y rhyw oedd o. Sori, ond dyna fo. Oedd hi'n hapus i wneud
                 stwff.

CERYS: Stwff? Yr ochr dywyll?

GARETH: Na! Dydi'm rhaid i ti wybod. 'Ond cymryd 'y ngair i.

CERYS: Pa stwff? Y stwff arall? O'n i'n trio rhoi lo's i ti o fla'n dy dad!

GARETH: O! Dyna oedd o?

CERYS: 'Nath hi rili ishte ar dy wyneb di? Gareth, 'nath hi ishte ar dy
                 wyneb di!

GARETH: Wrach g'nath hi.

CERYS: Smo ti'n cofio? O't ti'n anymwybodol?

GARETH: Do, mi 'nath!

CERYS: Ti ofynnodd iddi?

GARETH: Do! Do mi wnes!

CERYS: Ac o'dd hi'n rhoi blowie i ti ar yr un pryd?

GARETH YN CLADDU EI WYNEB YN EI DDWYLO.

CERYS: 'Nath hi roi blowie i ti?

GARETH YN RHYW LED-NODIO.

CERYS: Swno'n grêt.

GARETH: (ESTYN LLAW)
                 Cariad...

CERYS: Paid twtsh fi. Cuntface.

GARETH: Chdi oedd isio'r gwir!

CERYS: Allet ti fod wedi gweud celwydd!

GARETH: Be' fydda'r pwynt? Ma' dynas yn gwybod; ma' dynas wastad
                yn gwybod. Dwi'n iawn, tydw?

CERYS: Calon y gwir. Synnwyr o'r diwedd.

                YSBAID.

GARETH: Be' rwan?

CERYS: Priodi, wrth gwrs. Byw bywyde cymharol llawn a hapus. Rhai
                yn briod am hanner can mlynedd; a rhywbryd, yn ystod yr
                hanner can mlynedd 'na wy'n mynd i dy fradychu di. Wy'n
                mynd i fod yn anffyddlon; cyflawni gweithred odinebus.

GARETH: Ti wedi dy frifo, ac isio 'mrifo i, ond wnei di ddim. Nid un fel'na
                wyt ti.

CERYS YN CYSIDRO **BET**.

CERYS: Ma' nhw'n gweud bo' pwynt yn dod 'le mae e'n rhwydd; y peth
                mwya' naturiol yn y byd.

GARETH YN CYSIDRO **HUW**.

GARETH: Wrach na chai byth wybod.

GOLAU YN NEWID.

GOLYGFA 22

HUW AR BEN EI HUN. **BET** I'R GOLWG. MAE HI'N GWISGO CÔT FAWR DROM, LLIW GLAS.

HUW YN GWICHIAN MEWN PLESER. **BET** YN GWENU'N HAPUS BRAF.

HUW: Ddoth Gwyn â'r ticad?

MAE **BET** YN SIOMEDIG.

BET: Wyt ti wedi bwyta dy frecwast?

HUW: Pob tamad.

BET: Heb gael dim ar dy ddillad, neu ar y llawr? Da'r hogyn.

HUW: Dwi'n hogyn da.

       YSBAID.

BET: Wyt ti'n licio'r gôt?

HUW YN RHOI EI LAW I LAWR EI DROWSUS A DECHRAU CHWARAE EFO FO'I HUN.

BET: Na, paid.

HUW YN PEIDIO.

BET: Wyt ti'n licio'r gôt? Wyt ti'n 'i chofio'i?

HUW: Dwi'n cwarfod Bet nes ymlaen. Dwi am fynd â hi allan yn y deryn.

BET:	Wyt ti'n 'i charu hi?
HUW:	Yn fawr iawn, iawn.
BET:	Nabodi di hi pan weli di hi?
HUW:	Hawdd. Mi fydd yn gwisgo'i chôt fawr las. Yn union fel 'run yna.

BET YN GWENU.

HUW:	'I chôt fawr las a...
BET:	Ia…?
HUW:	'I ffrog felyn, secsi. Naboda'i yn syth.

DAW **CERYS** I'R GOLWG. MAE'N GWISGO FFROG HAF, FELYN WEDI EI THORRI YN ISEL.

HUW:	Ddoth Gwyn â'r ticad?

BET YN DIOSG Y GÔT LAS. ODDI TANI, MAE'N GWISGO FFROG HAF, FELYN WEDI EI THORRI YN ISEL.

HUW:	Welist ti Gwyn?
BET:	Do, cariad.

BET YN CLOSIO A CHYDIO YNDDO YN GARIADUS.

HUW:	Roth o fo i ti?

BET YN EI GYSIDRO YN BWRPASOL. MAE HI'N GWENU. MAE HI'N EI GUSANU.

BET: Do; a wedyn mi roth y ticad i mi.

HUW: Champion. Ardderchog.

GARETH YN YMDDANGOS TU ÔL I CERYS. YN YSTOD Y CANLYNOL (RHWNG **HUW** A **BET**) MAE'N RHEDEG EI DDWYLO DROS EI CHORFF. HITHAU YN CAU EI LLYGAID YN FREUDDWYDIOL; YN FODLON IDDO WNEUD.

BET: Glywist ti? Mi rhoth o fo i fi.

HUW: Gêm bwysig.

BET: Un ffordd; ffordd arall; bob ffordd.

HUW: Farrar Road dan 'i sang!

BET: Bendigedig. Teimlo 'mod i'n fyw.

HUW: Efo'r gwynt yn 'y ngwallt...

BET: Wyddost ti be' ddeudodd o wedi i ni ddarfod, Huw?

HUW: Mwya' sydyn, dyma'r bêl yn landio wrth 'y nhraed i.

BET: Mi afylodd yn'ai'n dynn, a sibrwd.

HUW: Dwed wrth Gwyn gwnai weld o tu allan i'r British.

BET: Dwi'n caru dy gont di.

HUW: Ddoth o â'r ticad?

BET YN DATGYSYLLTU EI HUN. MAE HI'N CORDDI RWAN.

AR YR UN PRYD, **CERYS** YN GWTHIO **GARETH** I FFWRDD.

BET: Dyna ddeudodd o! Yn chwe deg oed, syndod mwya' mywyd i!
                              Dwi'n – caru – dy – gont – di. Dyna ddeudodd o wrtha'i!

HUW YN GWENU. **BET** WEDI EI GORCHFYGU RHYW YCHYDIG.

BET: 'Cymrodd fi fyny 'nhin. Ddwywaith. Fyny i'r bôn. Arbennig.
                              Wyt ti'n gwrando? Profiad arbennig.

HUW: Ddoth Gwyn â'r ticad?

BET YN DECHRAU PELTIO **HUW**. HYN YN SBARDUN I **CERYS** DDECHRAU PELTIO
GARETH.

GOLAU YN NEWID.

GOLYGFA 23

HUW, BET, GARETH A **CERYS** GYDA'I GILYDD. YMDDENGYS FOD **HUW** YN GWBL GLIR A SYNHWYROL.

HUW: Foneddigesau a boneddigion... Cyn 'mod i'n sôn am y pâr hapus, a dymuno'n dda iddynt ar daith bywyd, mi hoffwn ddweud gair neu ddau ynglŷn â rhywun sy'n annwyl iawn i mi; sy'n agos iawn at 'y nghalon. Y rhywun honno ydi'r ddynas dwi'n 'i charu – dwi wedi 'i charu o'r funud gwelis i hi am y tro cynta' rioed. Hi oedd – hi ydi'n angor i. Hi sy'n rhoi'r ewyllys i mi fyw. Hi ydi 'ngwraig i. Ei henw... ei henw...

BET, GARETH A **CERYS** YN DAL EU GWYNT. BETH DDYWEDITH O: 'oedd' neu 'ydi'?

HUW: Ei henw... ydi Bet.

HEB RYBUDD, **HUW** YN DIOSG EI DDILLAD I GYD. **BET, GARETH** A **CERYS** WEDI EI BRAWYCHU.

HUW: Pwy ddaw i'r gwely efo fi?

HUW YN ESTYN LLAW I GYFEIRIAD **BET**, GAN WENU YN DDISGWYLGAR.

HUW: Be' am y briodferch?

BET, GARETH A **CERYS** YN YMLACIO.

BET YN COFLEIDIO **HUW** YN FODLON. DYMA FOMENT DDA IAWN.

DIWEDD